曹全碑

名家教你写

视频精讲版

◎翁志飞 编

中原出版传媒集团
中原传媒股份公司
河南美术出版社
·郑州·

图书在版编目（CIP）数据

曹全碑／翁志飞编. — 郑州：河南美术出版社，2023.2
（名家教你写：视频精讲版）
ISBN 978-7-5401-6067-8

Ⅰ. ①曹… Ⅱ. ①翁… Ⅲ. ①隶书—碑帖—中国—东汉时代
Ⅳ. ①J292.22

中国国家版本馆CIP数据核字（2023）第005826号

名家教你写　视频精讲版

曹全碑

翁志飞　编

出版人　李　勇
责任编辑　王立奎
责任校对　裴阳月
装帧设计　张国友
出版发行　河南美术出版社
地　址　郑州市郑东新区祥盛街27号
邮政编码　450016
电　话　0371-65788152
印　刷　河南瑞之光印刷股份有限公司
经　销　新华书店
开　本　889mm×1194mm　1/16
印　张　3.5
字　数　44千字
版　次　2023年2月第1版
印　次　2023年2月第1次印刷
书　号　ISBN 978-7-5401-6067-8
定　价　29.80元

出版说明

《曹全碑》全称《郃阳令曹全碑》或《汉郃阳令曹景完碑》，又称《曹景完碑》，东汉灵帝中平二年（185）立。碑高253厘米，宽123厘米。碑阳20行，行45字。出土时状况完好，唯『因』字半残。清康熙十一年（1672）后断裂，现存于西安碑林。

《曹全碑》的用笔丰富多姿，起笔多以藏锋为主，亦有逆锋；收笔轻按轻提，或藏锋或露锋。用笔主要以圆笔为主，但仍含篆意而不露行迹。这种圆笔所表现出来的线条质感厚重，使之具有纵深的立体感。圆厚的线条是此碑的用笔特色之一。其用笔特色之二是微微下垂的起笔。它的起笔采用最典型的蚕头写法，行笔中由下而上慢慢伸展，使笔画极富弹性。其用笔特色之三是主笔突出。这里的主笔指的是波磔之画。一字之内笔画的粗细安排得体，让人感到『粗不为重，细不为轻』，整体形态和谐悦目。此碑中的一些长横、长捺较为夸张，如『戊』『延』等字以典型的蚕头雁尾之势极尽横向之伸展，飘逸洒脱。隶书属于较为静态的字体，平、正、稳正是其最基本的审美特征。

《曹全碑》结体扁平舒展，字势遒美。其用笔流畅，左右舒展，收放自如，干净利索，表现出飘逸的特征。字法结构上紧下松，中宫收紧，多取横势，兼有长、方结体，疏朗平整，飘逸多姿，平正工稳中见险峻敧侧之势。《曹全碑》中有些字的体势极扁，这是其他汉碑中所罕见的，也是在临习时要注意的。

整篇章法布局行列整齐，横成列、竖成行，疏密有致，极富流动气息。布白均匀，清新有致，字体大小相同，字距大于行距。且每个字笔画之间的间隔都很均匀，整体看来横向开张流畅，纵向含蓄稳健，从而使章法雍容大度、飘逸多姿。

《曹全碑》笔势柔美、结构精巧，其独特的审美倾向在汉代碑刻文字流派中独树一帜。《曹全碑》若一幅中国古代工笔仕女图，别有一番韵味。《曹全碑》的秀丽端庄、平和简静与其他汉碑的敦厚古朴、端庄遒劲、质朴雄厚形成了鲜明的对比。需要说明的是，兴趣是学习书法最好的老师，只有对书法有较大的兴趣，才能更好地找到学习书法的诀窍。临习《曹全碑》只有下真功夫，才能练就真本事。书法的学习永无止境，只有孜孜不倦地临习和思考才能有所成就。

为方便书法爱好者学习，特邀请著名书法家翁志飞老师对全书进行临摹示范，并选取范字进行讲解。另外，运用现代科技手段，制作成二维码，扫码即可观看讲解视频，以飨读者。

君讳全字景完

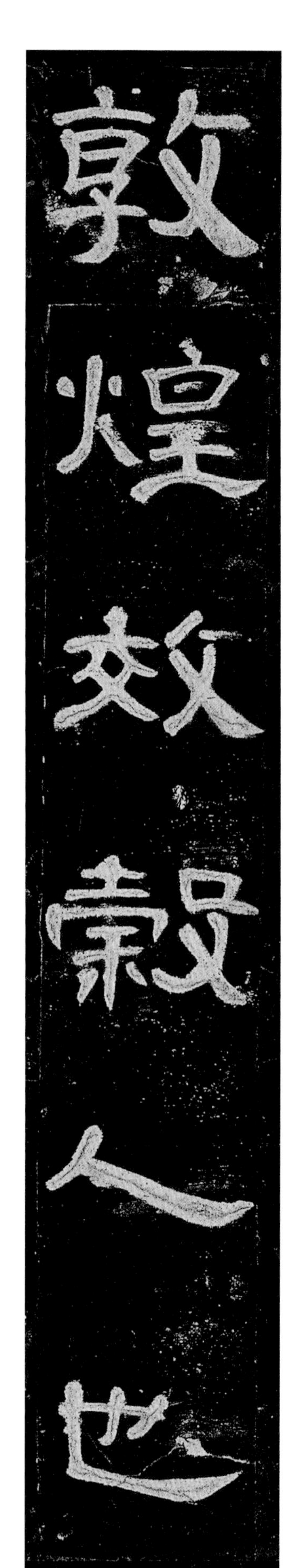
敦煌效谷人也

其先盖周之胄

武王秉乾之机

剪伐殷商既定

尔勋福禄攸同

封弟叔振铎于

曹国因氏焉秦

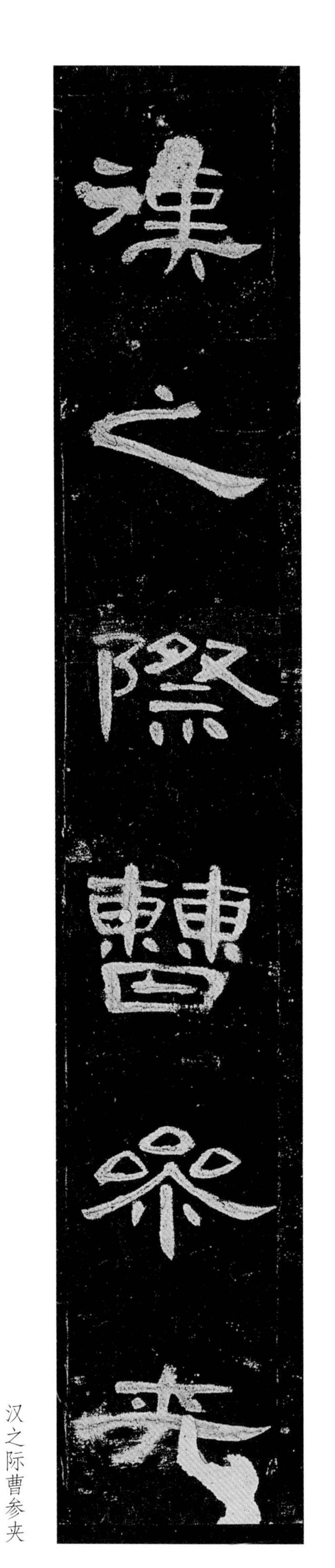

汉之际曹参夹

辅王室世宗廓

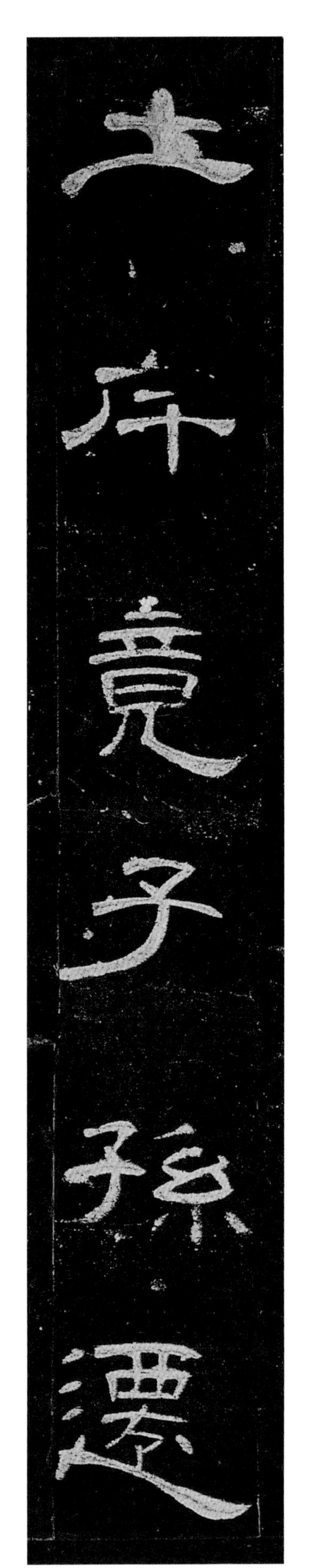

土斥竟子孙迁

于雍州之郊分

止右扶风或在

安定或处武都

或居陇西或家

敦煌枝分叶布

所在为雄君高

祖父敏举孝廉

武威长史巴郡

朐忍令张掖居

延都尉曾祖父

述孝廉谒者金

城长史夏阳令

蜀郡西部都尉

祖父凤孝廉张

掖属国都尉丞

右扶风隃麋侯

相金城西部都

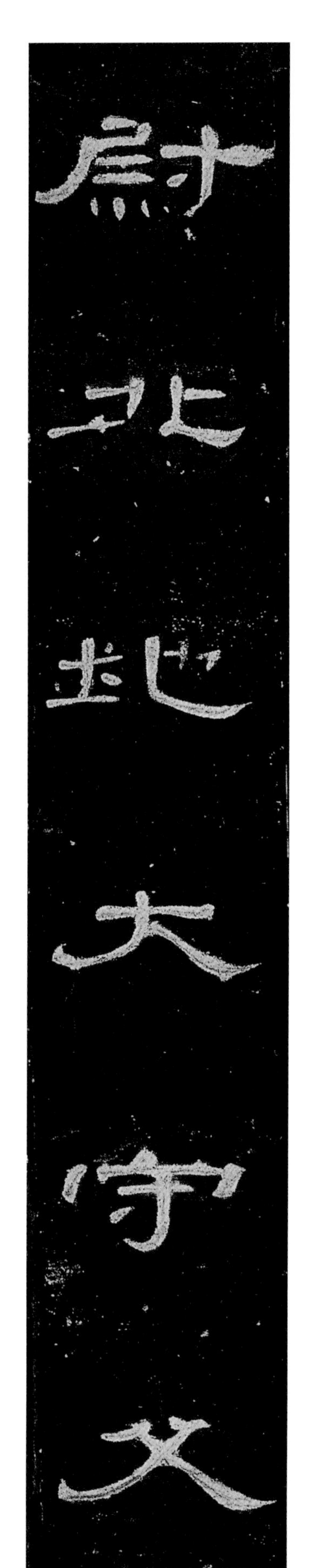

尉北地大（太）守父

琫少贯名州郡

不幸早世是以

位不副德君童

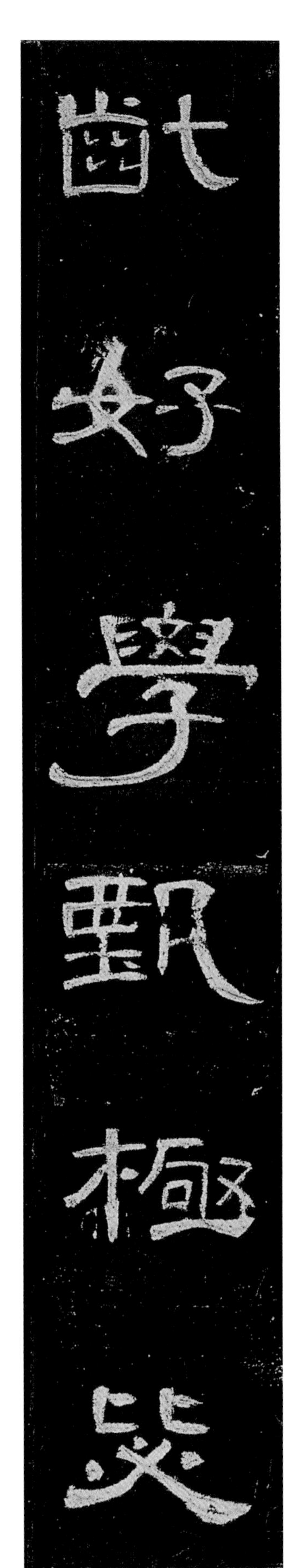

訿好学甄极毖

纬无文不综贤

孝之性根生于

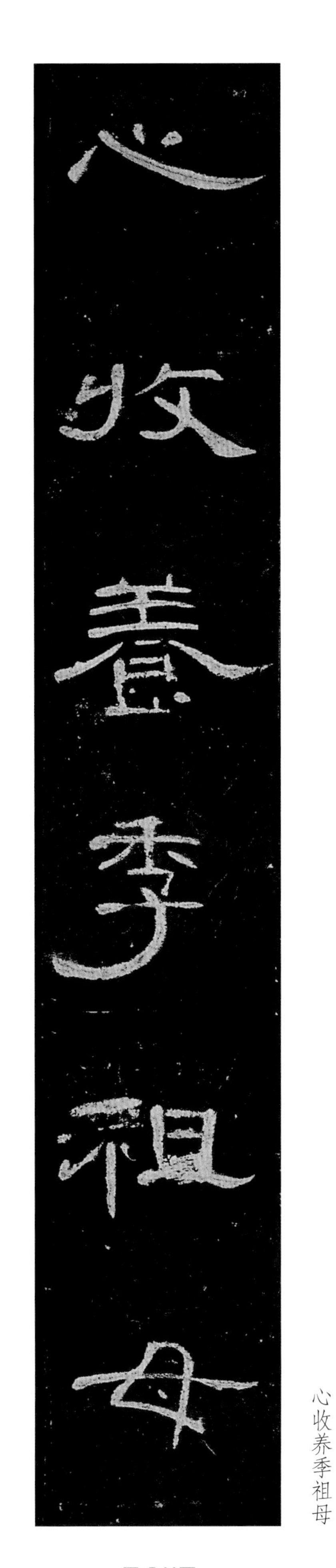

心收养季祖母

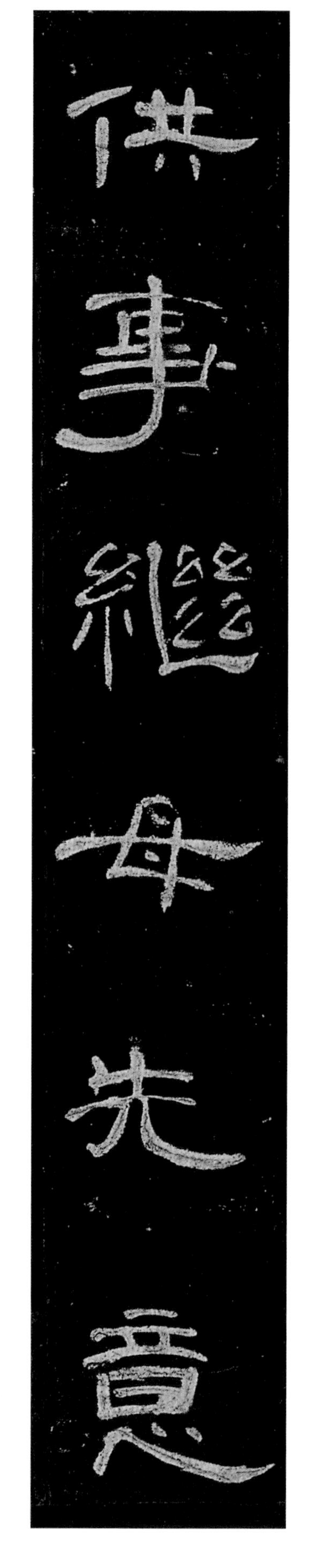

供事继母先意

承志存亡之敬

礼无遗阙是以

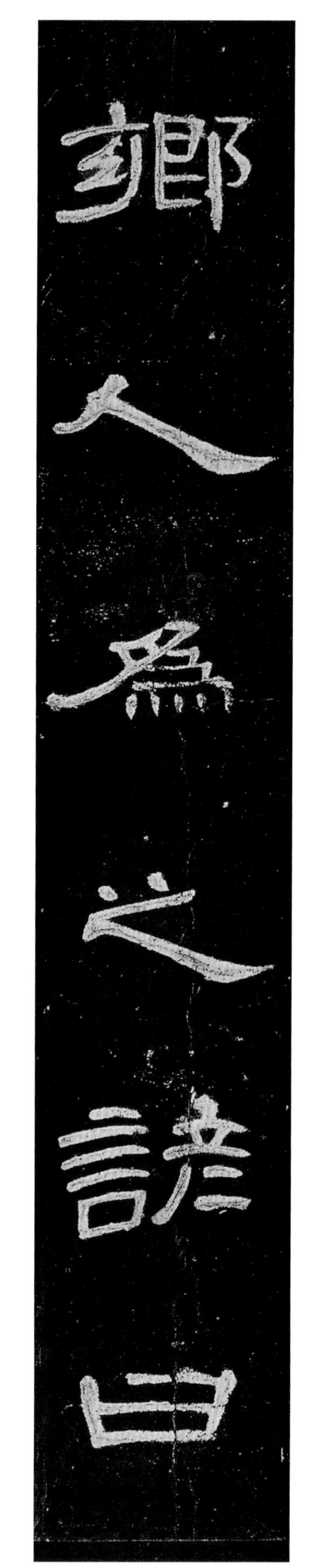

乡人为之谚曰

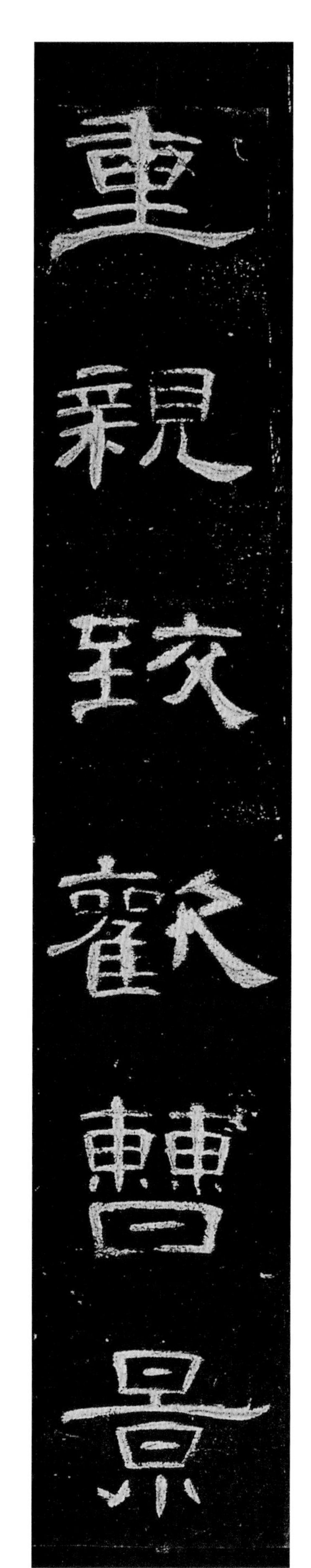

重亲致欢曹景

完易世载德不

陨其名及其从

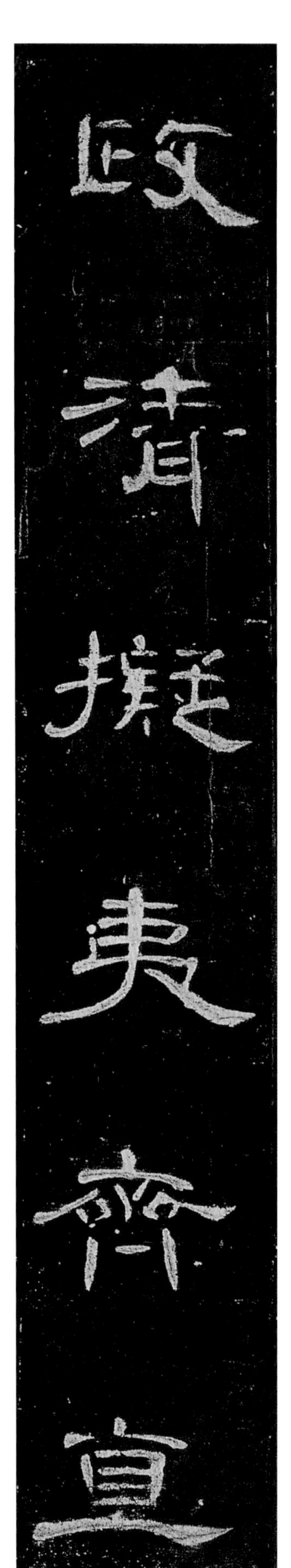

政清拟夷齐直

慕史鱼历郡右

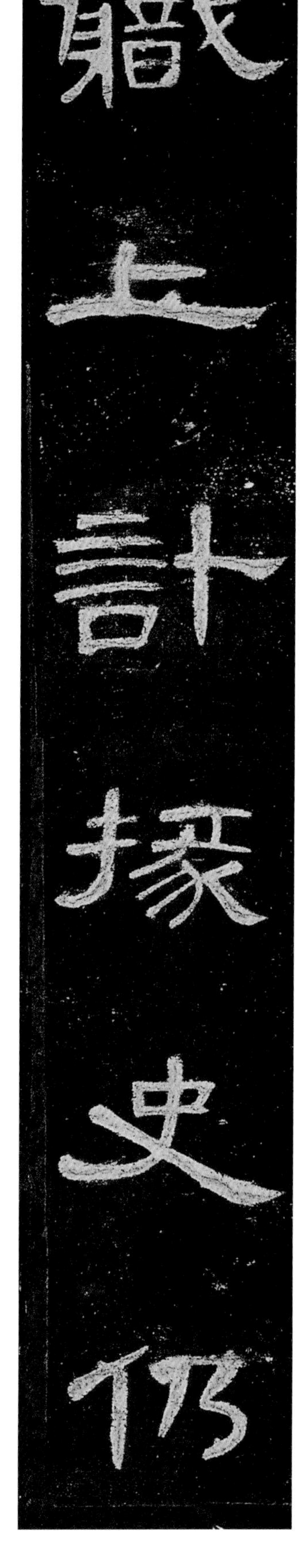

职上计掾史仍

辟凉州常为治

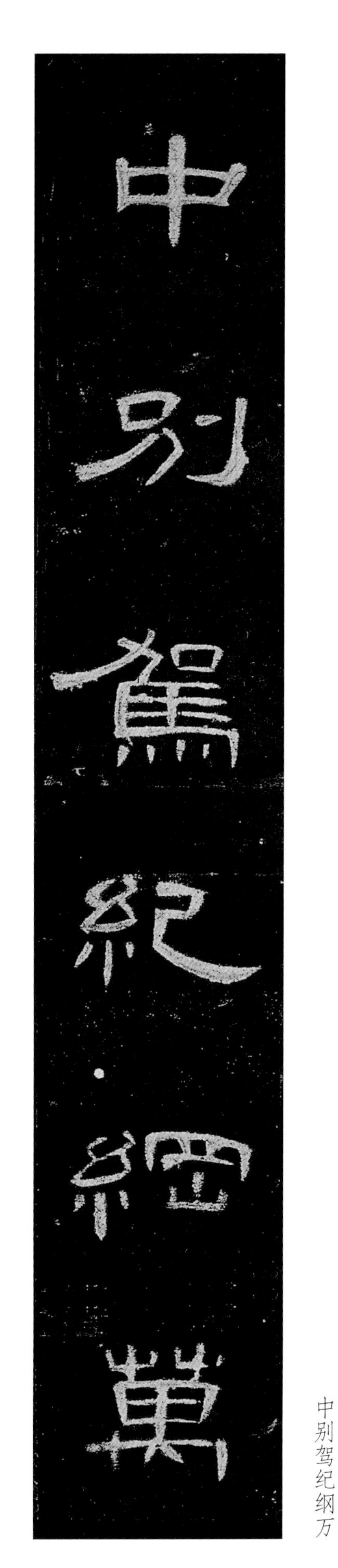

中别驾纪纲万

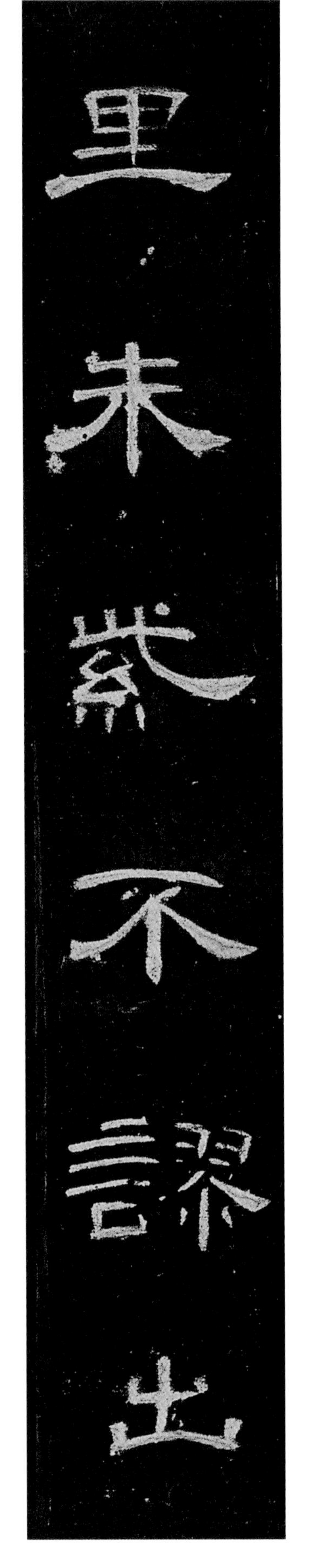

里朱紫不谬出

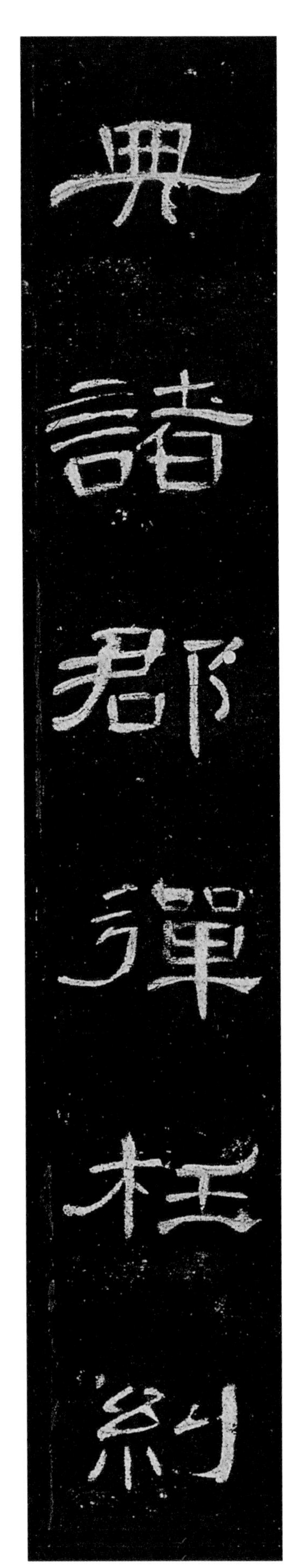

典诸郡弹枉纠

邪贪暴洗心同

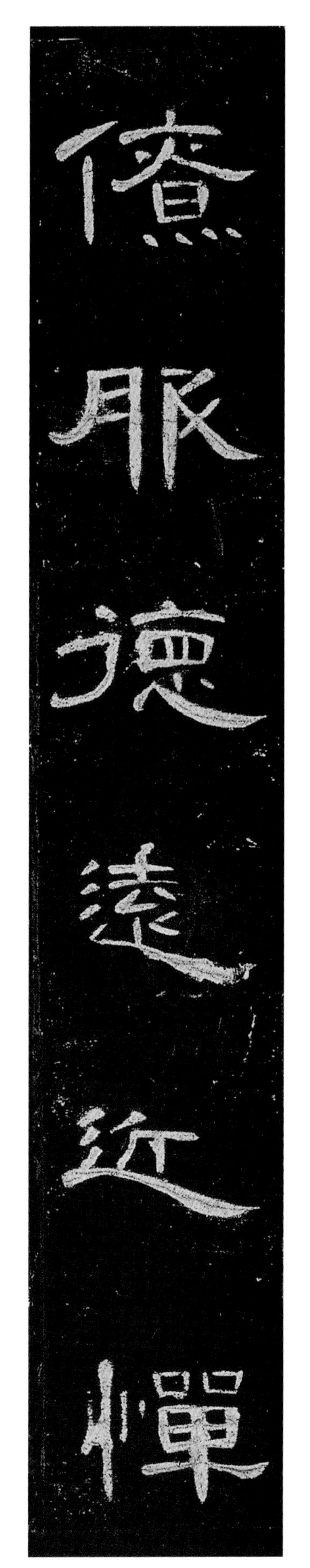

僚服德远近惮

威建宁二年举

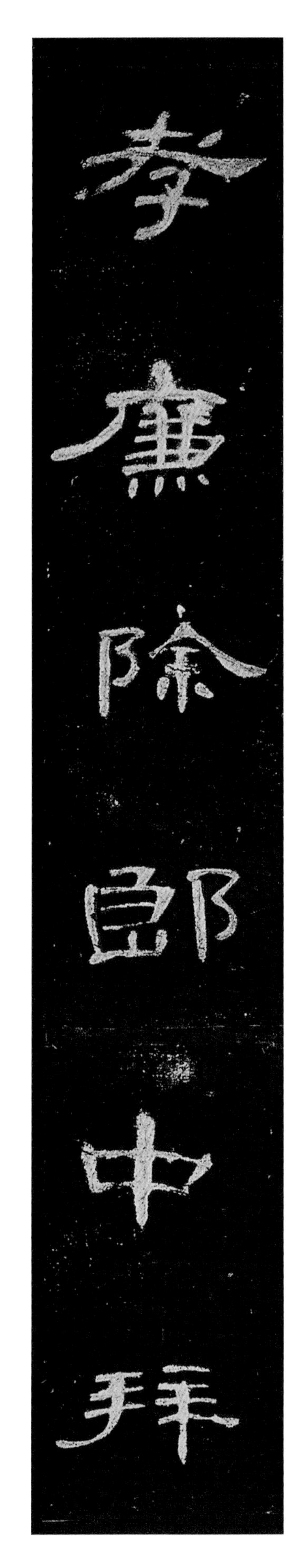

孝廉除郎中拜

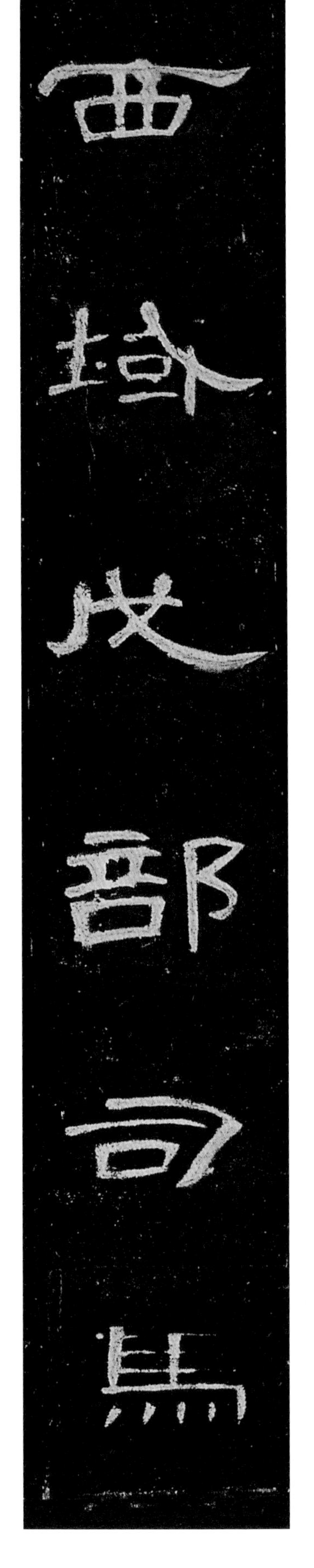

西域戊部司马

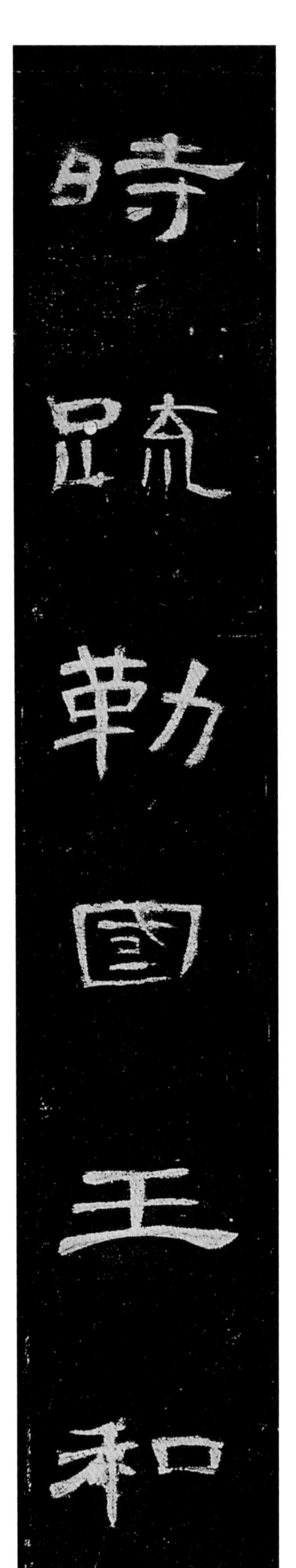

时疏勒国王和

德弑父篡位不

供职贡君兴师

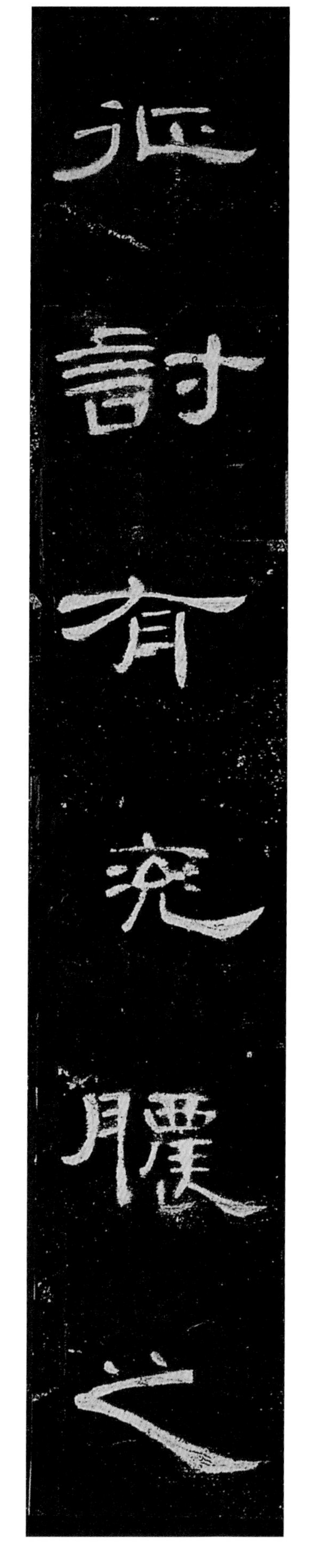

征讨有吮脓之

仁分醪之惠攻

城野战谋若涌

泉威牟诸贲和

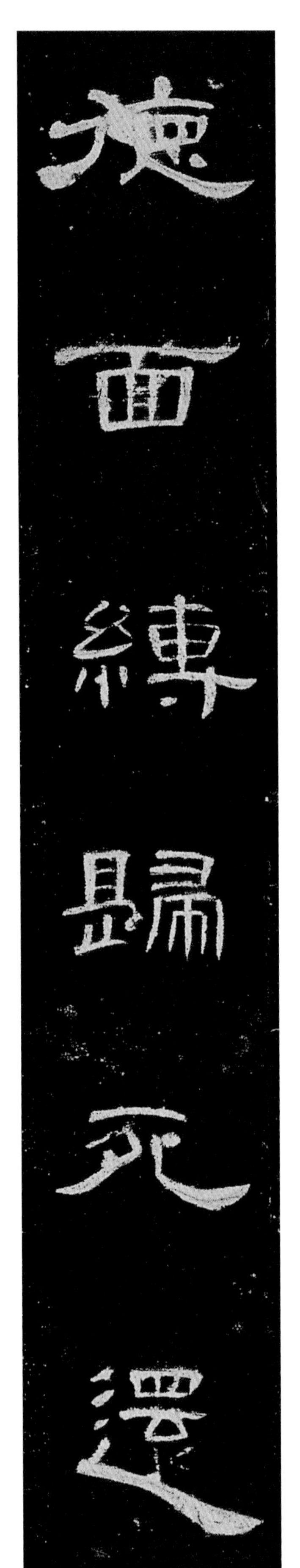

德面缚归死还

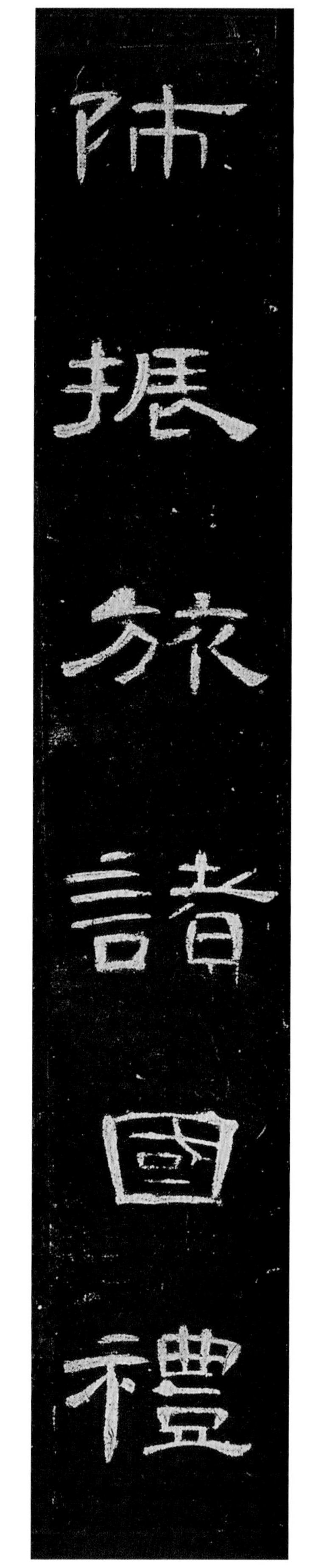

师振旅诸国礼

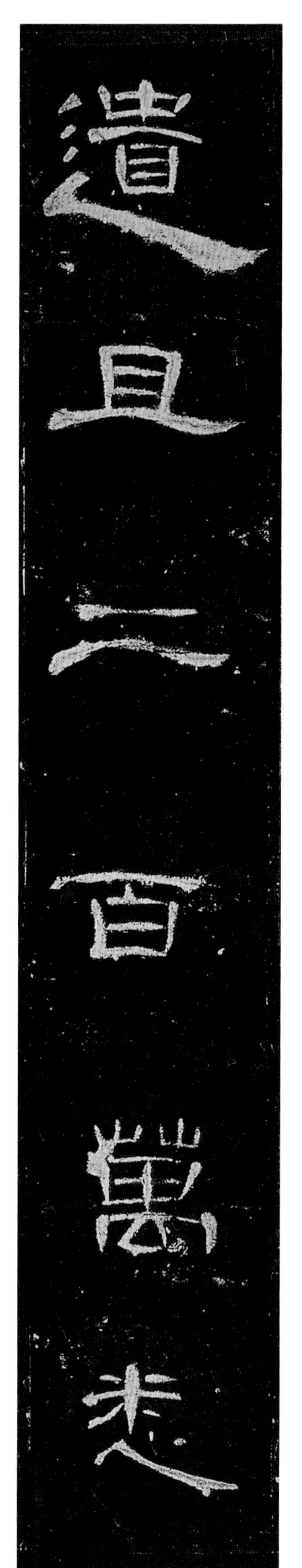

遗且二百万悉

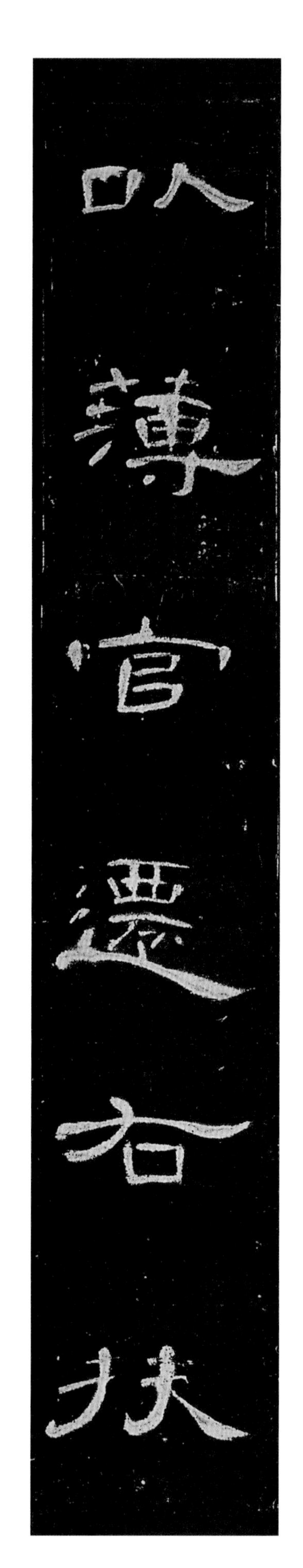

以薄官迁右扶

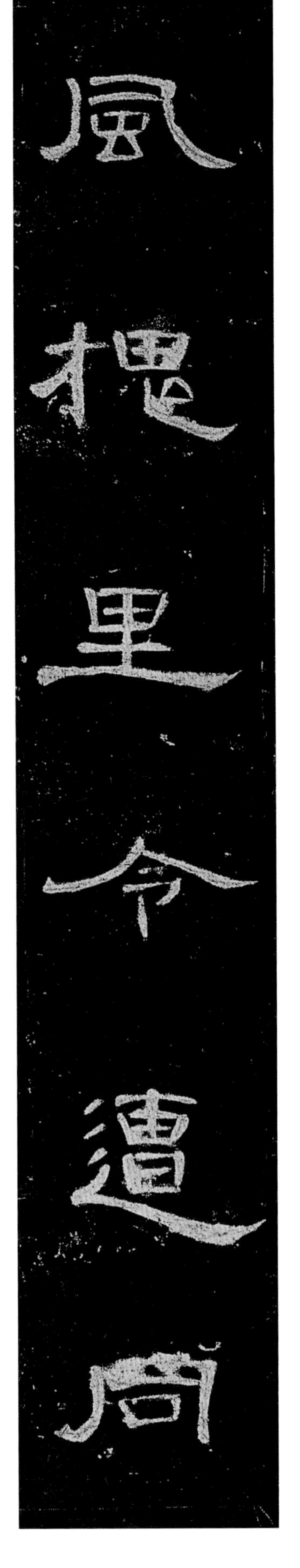

风槐里令遭同

产弟忧弃官续

遇禁冈潜隐家

巷七年光和六

年复举孝廉七

年三月除郎中

拜酒泉禄福长

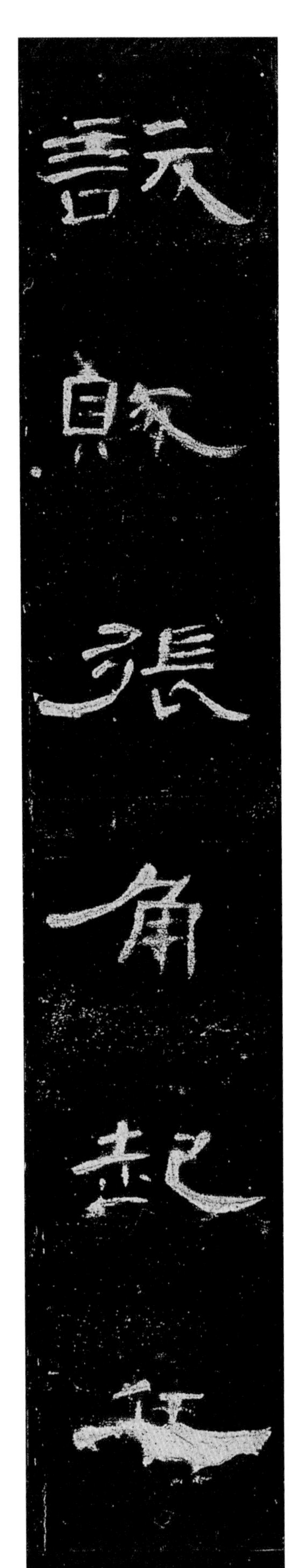

妖贼张角起兵

幽冀兖豫荆杨

同时并动而县

民郭家等复造

逆乱燔烧城寺

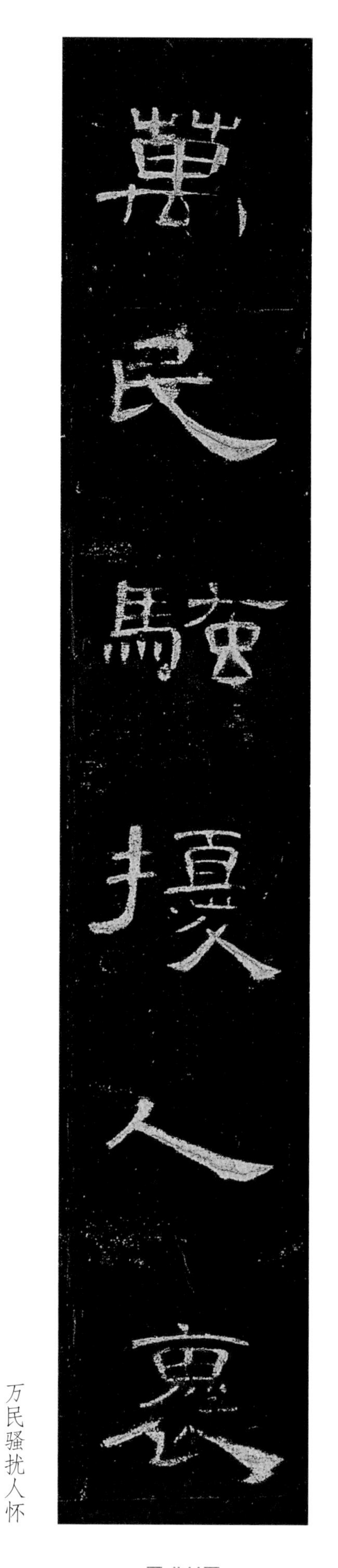

万民骚扰人怀

不安三郡告急

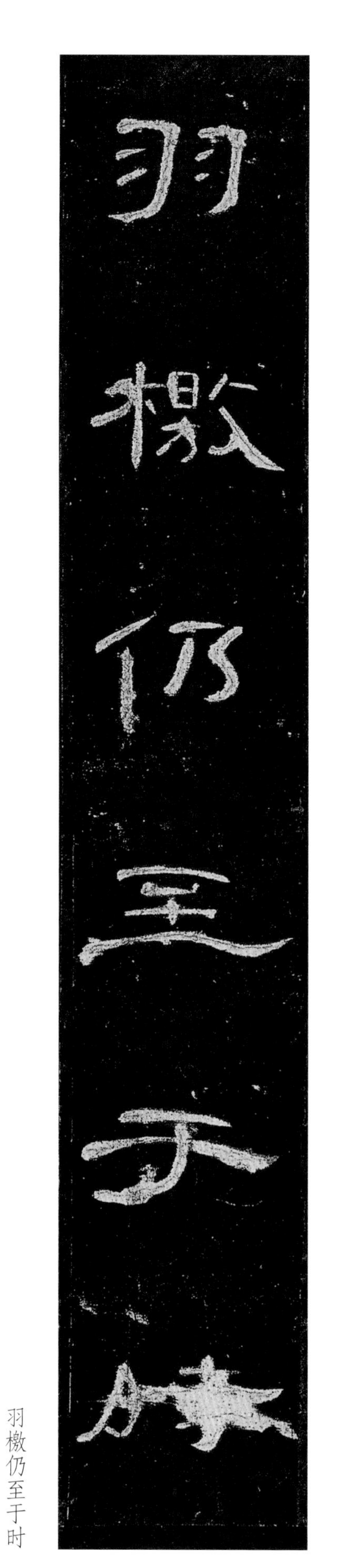

羽檄仍至于时

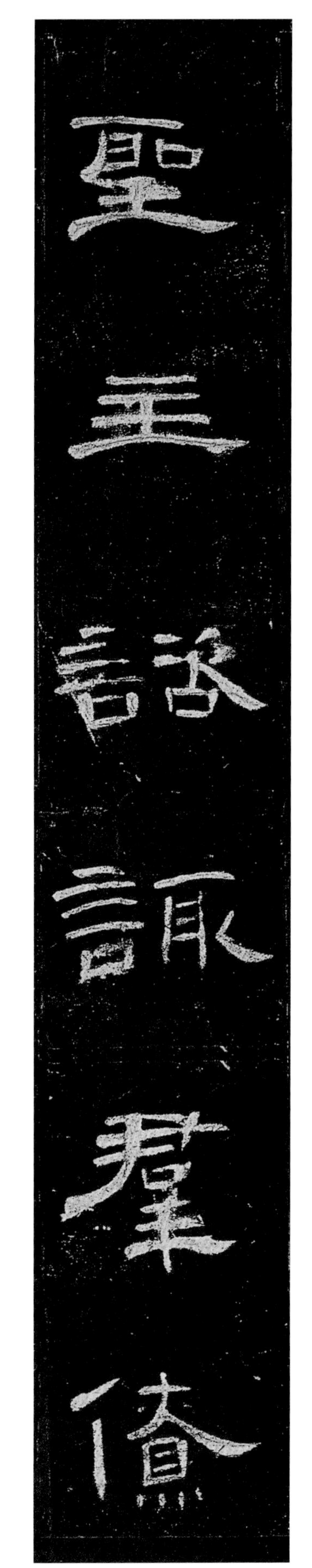

圣主谘诹群僚

咸曰君哉转拜

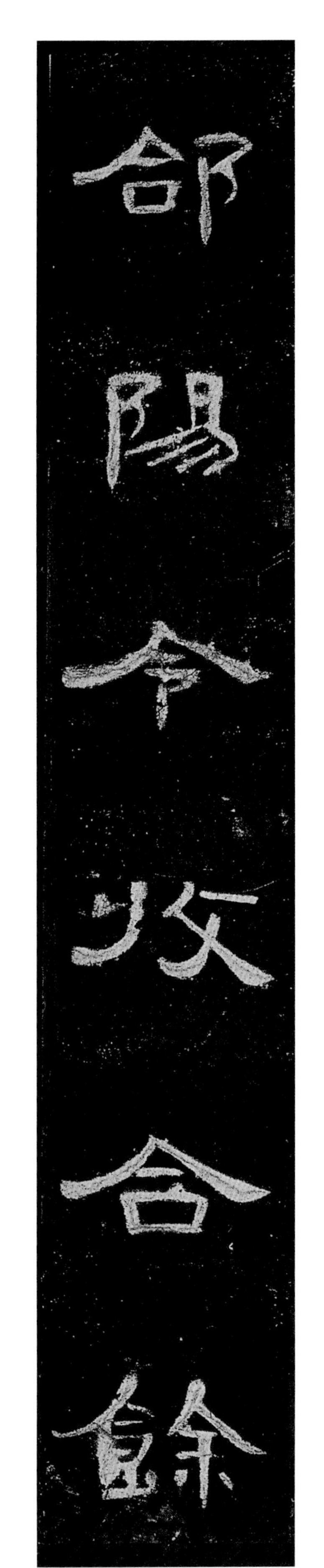

郃阳令收合余

烬芰夷残迸绝

其本根遂访故

老商量俊艾王

敞王毕等恤民

之要存慰高年

抚育鳏寡以家

钱籴米粟赐癃

盲大女桃斐等

合七首药神明

膏亲至离亭部

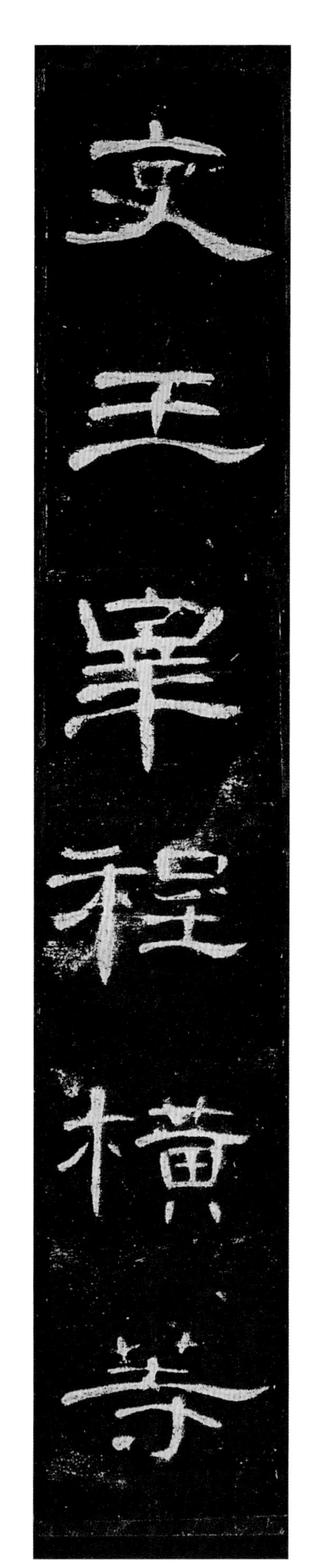

吏王宰程横等

赋与有疾者咸

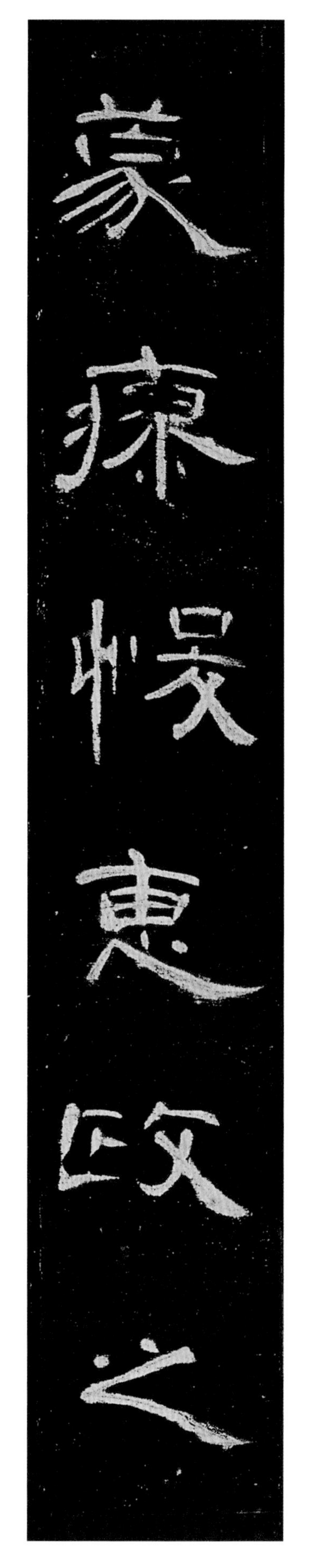

蒙瘳悛惠政之

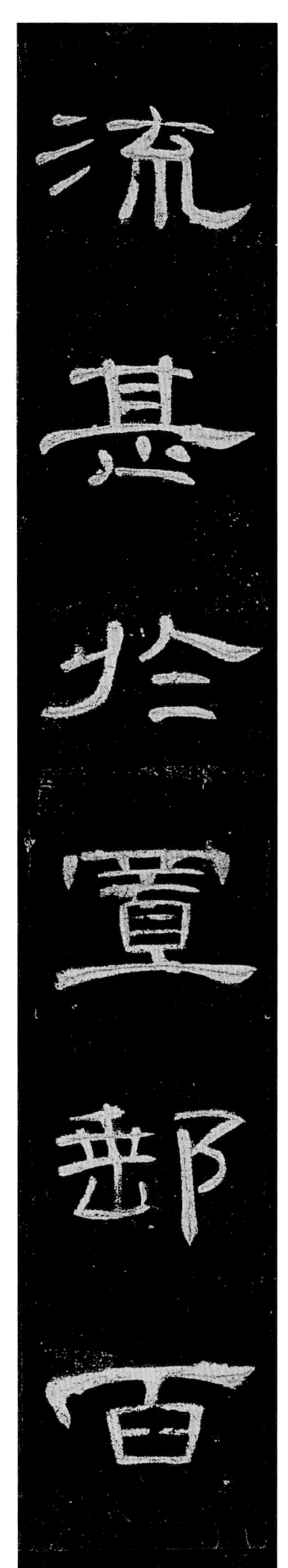

流甚于置邮百

姓襁负反者如

云戢治廧屋市

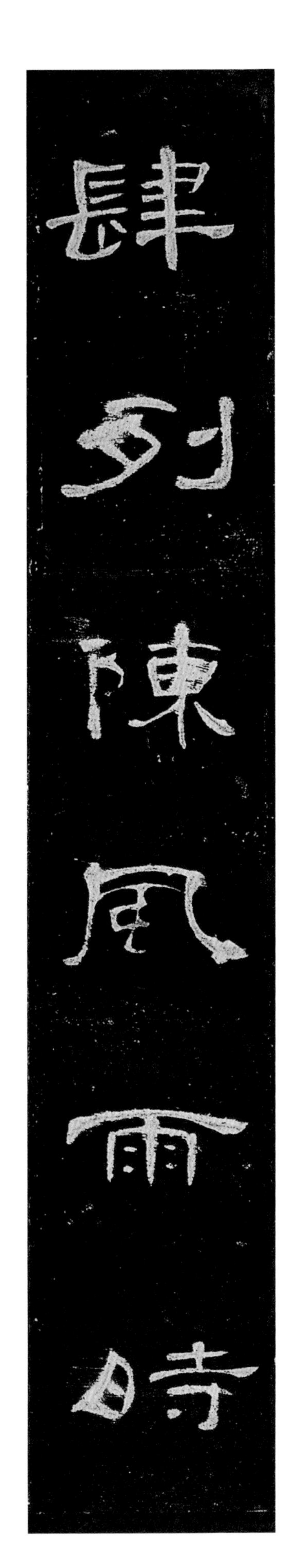

肆列陈风雨时

节岁获丰年农

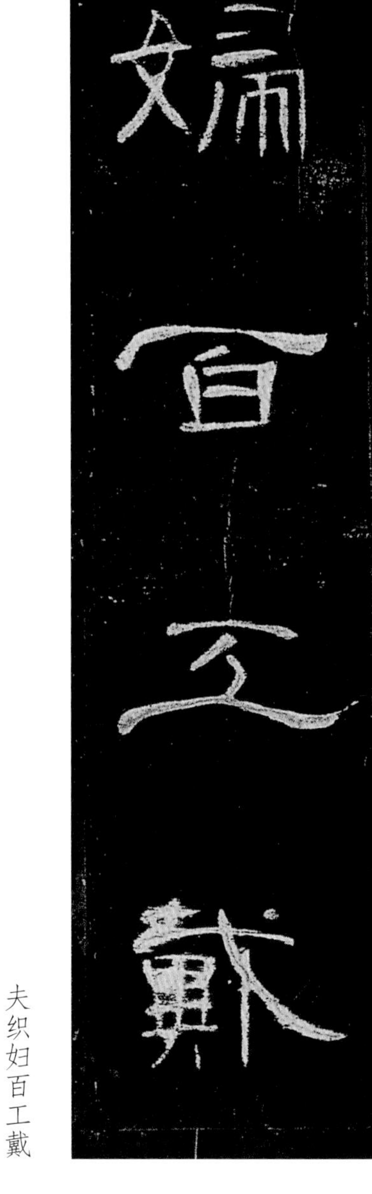

夫织妇百工戴

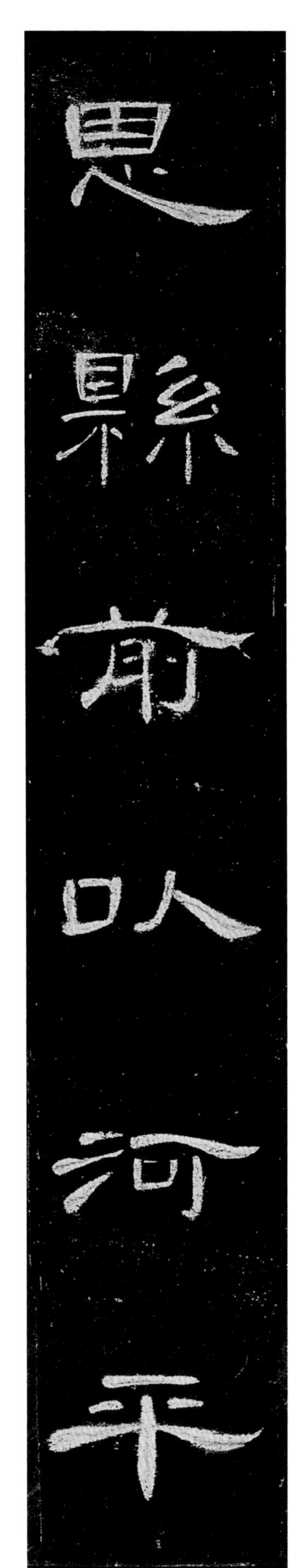

恩县前以河平

元年遭白茅谷

水灾害退于戌

亥之间兴造城

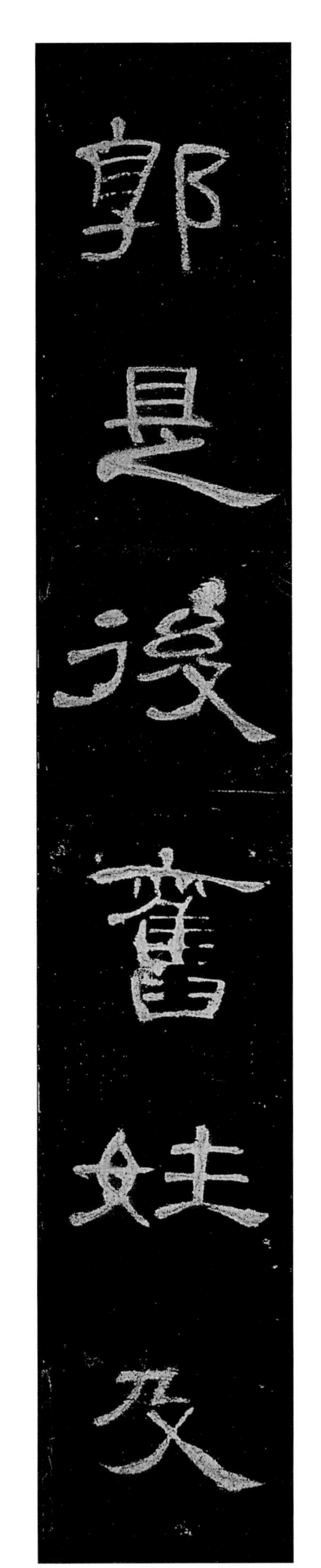

郭是后旧姓及

修身之士官位

不登君乃闵缙

绅之徒不济开

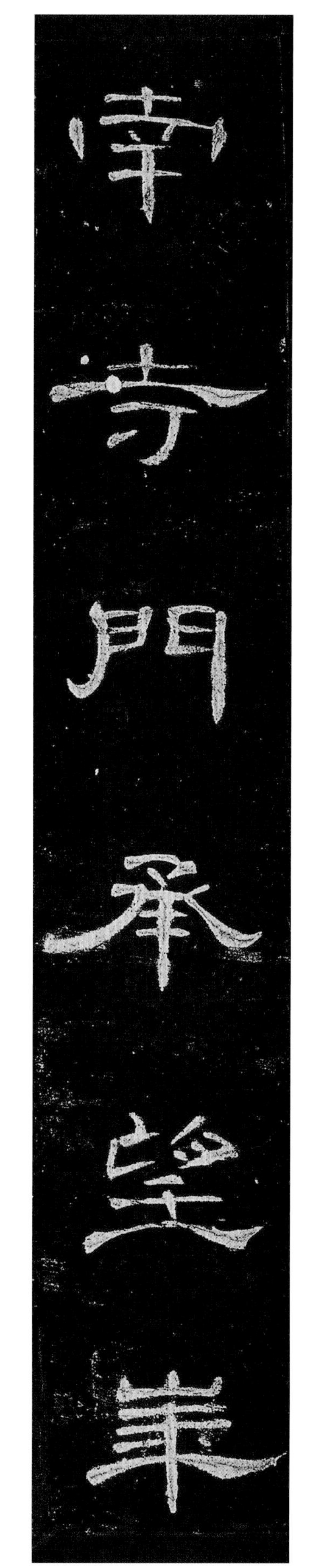

南寺门承望华

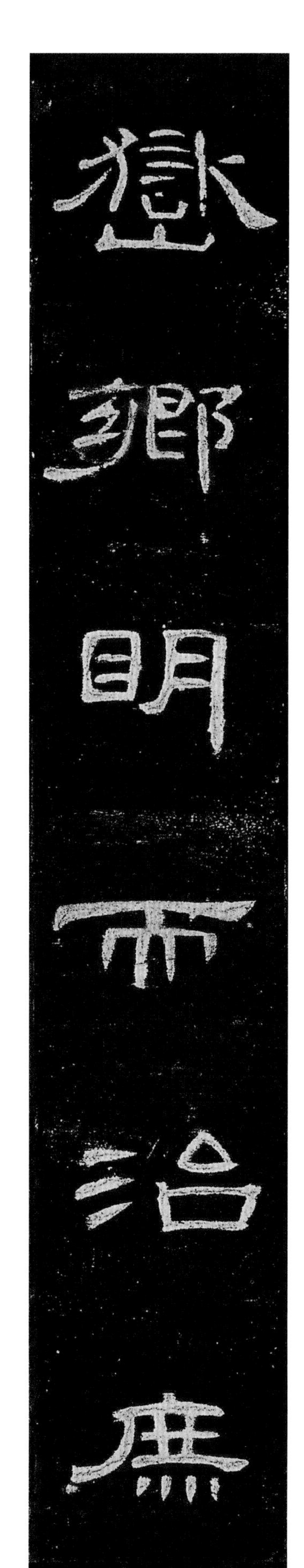

岳乡明而治庶

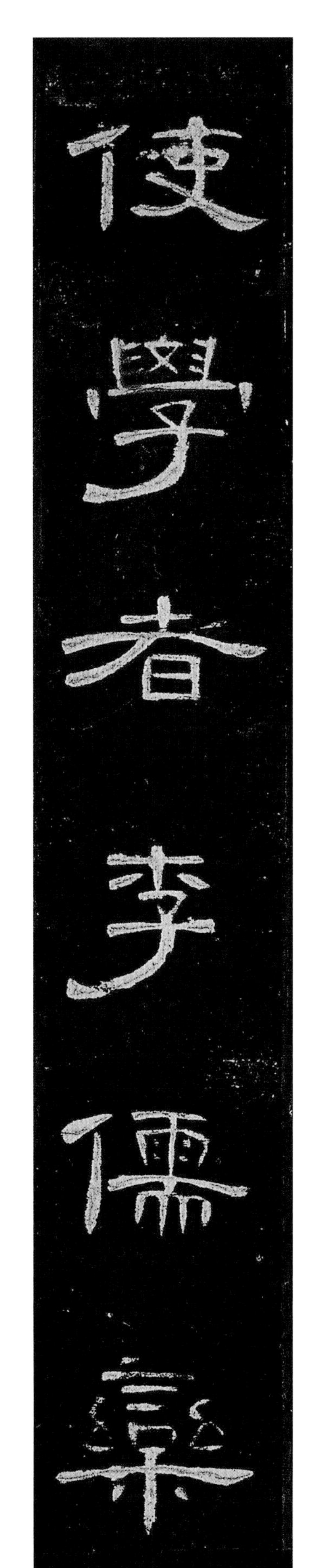

使学者李儒栾

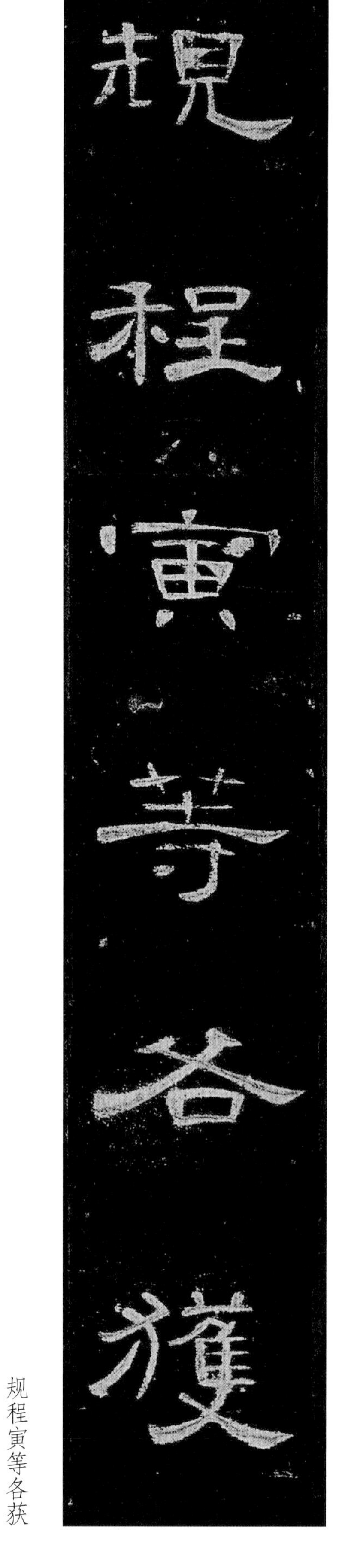

规程寅等各获

人爵之报廓广

听事官舍廷曹

廊阁升降揖让

朝觐之阶费不

出民役不干时

门下掾王敞录

事掾王毕主薄

王历户曹掾秦

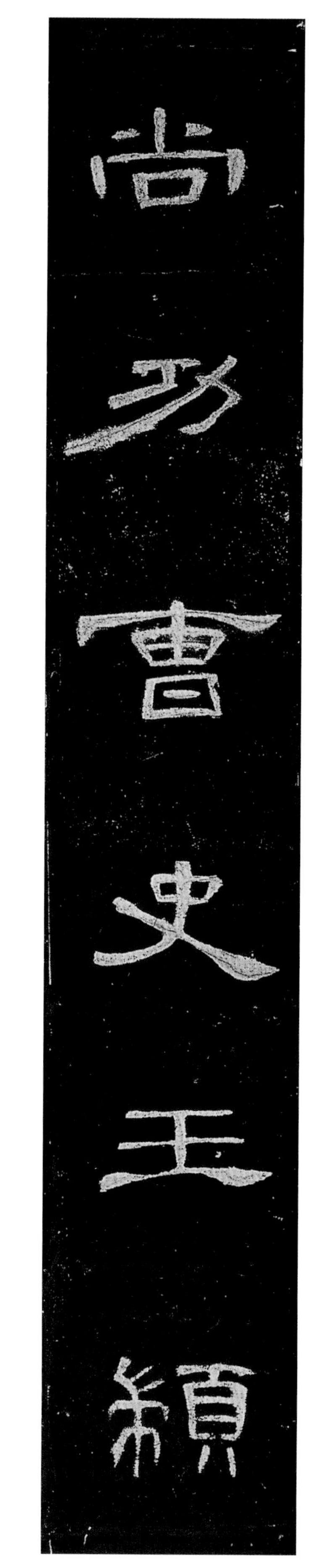

尚功曹史王颛

等嘉慕奚斯考

甫之美乃共刊

石纪功其辞曰

懿明后德义章

贡王庭征鬼方

威布烈安殊亢

还师旅临槐里

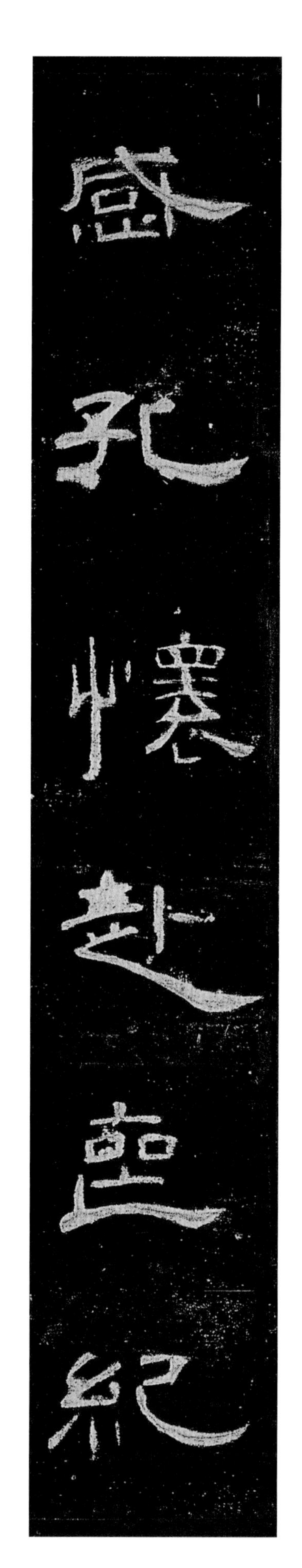

感孔怀赴丧纪

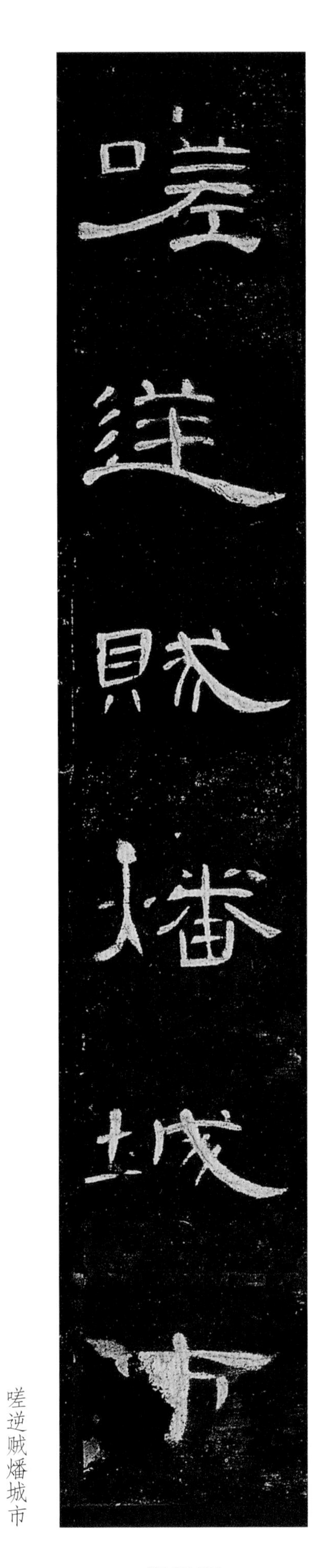

嗟逆贼燔城市

特受命理残圮

芟不臣宁黔首

繕官寺開南門

缮官寺开南门

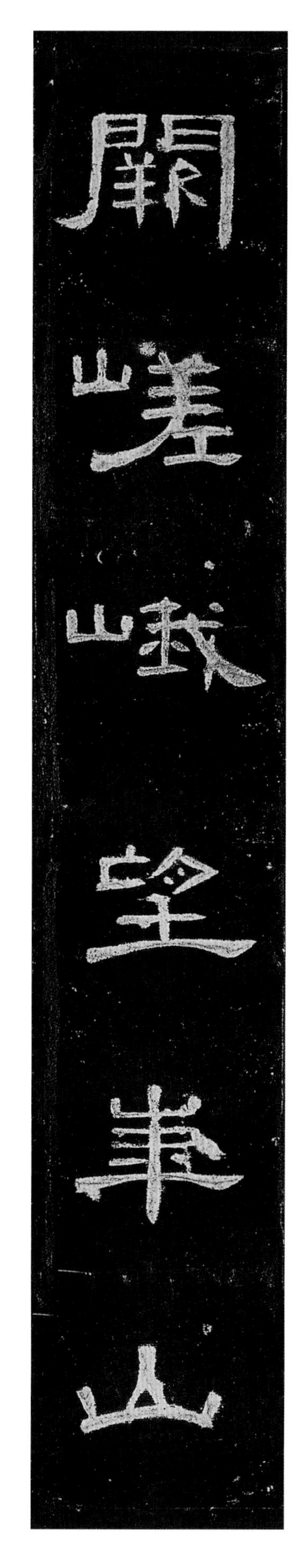

阙嵯峨望华山

乡明治惠沾渥

吏乐政民给足

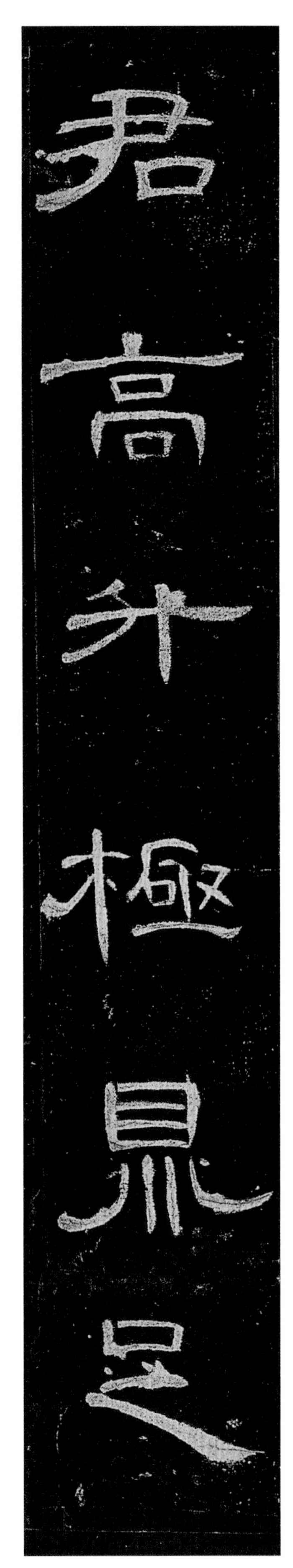

君高升极鼎足

中平二年十月

丙辰造

迁

不

宁

君

甫

孝

或

流

感

史

杨

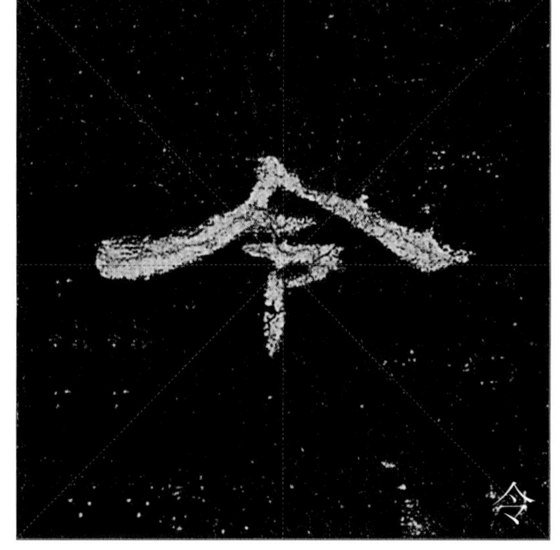
令

都

孙

之

廓

曹

凤

置

掾

诸

职

学

张

无

阙

肆

季

年

供